PRIEST AND THE SNAKE

پادری اور سانپ

English - Urdu

Manju Gupta

Gupta, Manju
Priest And The Snake
Dual language children's book

© Star Publishers Distributors
  ISBN: 81-7650-066-6

Published in India for
STAR BOOKS
55, Warren Street,
London WIT 5NW (UK)
Email: indbooks@spduk.fsnet.co.uk

by
Star Publishers Distributors
New Delhi 110002 (India)

Peacock Series
First Edition: 2004

Editor: Manju Gupta
Designing by: Ritu Sinha
Printed at: Everest Press

Once upon a time there lived a
poisonous snake in the bushes
outside a village.

کسی زمانے میں ایک گاؤں کے باہر جھاڑیوں میں ایک نہایت
زہریلا سانپ رہا کرتا تھا۔

3

The villagers did not know when it would suddenly come out, or whom it would attack. They lived in constant fear of that snake.

گاؤں والوں کو یہ ڈر لگا رہتا تھا کہ کب وہ اچانک نکل آئے اور کس پر حملہ کر دے۔ چنانچہ وہ سانپ کی طرف سے مسلسل خطرہ میں جی رہے تھے۔

One day a priest came to the village. The people told him about the snake, but the priest was far from frightened. He remarked, "Don't worry, I know how to tame it."

ایک روز ایک پادری اُس گاؤں میں آیا۔ گاؤں والوں نے اُس کو سانپ کے بارے میں بتایا۔ لیکن پادری کو اُس سے ذرا بھی ڈر نہیں لگا۔ بلکہ اُس نے لوگوں سے کہا گھبراؤ نہیں، ''مجھے معلوم ہے کہ اُس کو کیسے سُدھایا جاسکتا ہے۔''

The priest went to the bushes where the snake lived. Just as the snake came out to attack him, the priest held out his hand and blessed the snake.

پجاری اُن جھاڑیوں کی طرف گیا جہاں سانپ رہتا تھا۔ جیسے ہی سانپ اُس پر حملہ کرنے آیا پجاری نے اپنا ہاتھ اٹھایا اور سانپ کے لئے دعا کی۔

The snake lay down quietly at his feet. The priest said, “Don't harm anybody. I will teach you how to worship God. By taking his name, you will learn to love everyone.”

سانپ خاموشی سے اُس کے پاؤں کے سامنے لیٹ گیا۔ پادری نے کہا، ”کسی شخص کو تکلیف نہ پہنچانا۔ میں تمھیں خدا کی عبادت کرنے کا طریقہ سکھاؤنگا۔ تم اُس کا نام لے کر سب سے محبت کرنا سیکھ جاؤگے۔“

The priest gave his rosary to the snake, and taught it how to worship God. The snake took God's name, and promised never to harm anyone.

پادری نے اپنی تسبیح سانپ کو دے دی۔اور اسے خدا کی عبادت کرنا سکھایا سانپ نے اللہ کا نام لیا اور وعدہ کیا کہ اب کبھی کسی کو تکلیف نہیں پہنچائے گا۔

Soon the villagers realised that the snake was not biting anyone. Some wicked boys began to throw stones at it, but still it did not attack them. It quietly slithered away into hiding.

جلد ہی گاؤں والوں کو معلوم ہو گیا کہ سانپ کسی کو بھی نہیں کاٹتا۔ کچھ شریر لڑکوں نے اس پر پتھر پھینکے لیکن سانپ نے اُن پر حملہ نہیں کیا بلکہ خاموشی سے جا کر چھپ گیا۔

The next day, these boys came armed with sticks, and began to beat the snake mercilessly. The snake got badly hurt, but still it did not bite anyone.

16

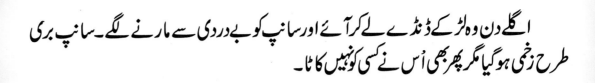

اگلے دن وہ لڑکے ڈنڈے لے کر آئے اور سانپ کو بے دردی سے مارنے لگے۔ سانپ بری طرح زخمی ہو گیا مگر پھر بھی اُس نے کسی کو نہیں کاٹا۔

A few days later, the priest returned to the village, and heard what had happened. He went to the snake and said, "You are very foolish. I told you not to bite people, but I did not tell you not to hiss."

چند دنوں کے بعد وہ پادری اُس گاؤں میں واپس آیا اور اُس نے ان سب واقعات کے بارے میں سنا۔ وہ سانپ کے پاس گیا اور کہا، ”تم بیوقوف ہو۔ میں نے تم سے کہا تھا کہ لوگوں کو کاٹنا مت۔ پر میں نے تم کو پھنکارنے کو تو منع نہیں کیا تھا۔“

The snake listened carefully, as the priest continued, "You must not harm others, but if wicked people trouble you, you must hiss at them to scare them away. You must be good, but that does not mean you should not protect yourself."

20

سانپ نے اس کی بات غور سے سنی۔ پادری پھر بولا، ''بیشک تمہیں اوروں کو تکلیف نہیں پہنچانی چاہیے۔ پر اگر بُرے لوگ تمہیں پریشان کریں تو تمہیں پھنکار کر انہیں ڈرانا چاہیے تمہیں اچھا بننا ضروری ہے مگر اس کا مطلب یہ نہیں کہ تم اپنی حفاظت نہ کرو۔''

Next time when the boys came to attack the snake, it raised its hood and hissed loudly at them. All the boys got frightened, and scampered away.

22

اگلی دفعہ جب وہ لڑکے سانپ پر حملہ کرنے آئے، اُس نے اپنا پھن اُٹھایا اور بہت زور سے پھنکار ماری، سب لڑکے ڈر کر بھاگ گئے۔

23

The snake had learned to protect itself, and it lived peacefully ever after.

سانپ نے اپنے آپ کو بچانا سیکھ لیا تھا،اور اب وہ بہت سکون سے زندگی بسر کرنے لگا۔